O livro dos
pontos de vis

Ricardo Azevedo

D1490196

 fuzuê

editora ática

• Prêmio Jabuti – finalista na categoria Livro Infantil, 2007.
• FNLIJ – Altamente Recomendável, 2007.

Este livro vai para os queridos amigos
Marcelo Uchoa, Adriana Crocker,
Guilherme e Cristal.

O livro dos pontos de vista
© Ricardo Azevedo, 2006

Diretor editorial   Fernando Paixão
Editora   Claudia Morales
Editora assistente   Elza Mendes
Coordenadora de revisão   Ivany Picasso Batista
Revisora   Ana Luiza Couto

ARTE
Projeto gráfico e edição de imagem   Sylvain Barré
Editor   Antonio Paulos
Diagramador   Claudemir Camargo
Editoração eletrônica   Sylvain Barré

CIP-BRASIL. CATALOGAÇÃO NA FONTE
SINDICATO NACIONAL DOS EDITORES DE LIVROS, RJ

A988L

Azevedo, Ricardo, 1949-
    O livro dos pontos de vista / [texto e ilustrações]
Ricardo Azevedo. - São Paulo : Ática, 2006
    64p. : il. - (Fuzuê)

    ISBN 978-85-08-10555-7

    1. Família - Literatura infantojuvenil. 2. Convivência -
Literatura infantojuvenil. I. Título. II. Série.

06-2376.   CDD 028.5
                               CDU 087.5

ISBN 978 85 08 10555-7 (aluno)
ISBN 978 85 08 10556-4 (professor)

2014
1ª edição
8ª impressão
Impressão e acabamento: Gráfica Ave Maria

Todos os direitos reservados pela Editora Ática, 2006
Av. Otaviano Alves de Lima, 4400 – CEP 02909-900 – São Paulo, SP
Atendimento ao cliente: 4003-3061 – atendimento@atica.com.br
www.atica.com.br

MEU NOME É CACHORRO

Meu nome é cachorro. Modéstia à parte, sou o bicho mais bonito, possante, jeitoso e interessante do jardim inteiro. Fora eu, quem mora aqui no jardim é, primeiramente, um gato. Desculpe muito, mas esse gato e nada é a mesma coisa.

Esse bichano não serve para coisa nenhuma. Passa o dia dormindo debaixo do sol. Quando acorda, espicha o corpo, boceja e se lambe inteirinho. Depois, parte roncando pelos quatro cantos do quintal. Nunca vi bicho que, mesmo acordado, ronque. Acho que esse gato é um caso raro. Antes, eu pensava que o bichano fosse doente. Cheguei a ficar preocupado achando que o coitado sofria do pulmão, mas agora já descobri tudo. O gato tem saúde de ferro.

É manhoso, isso sim. Ronca de propósito só para não ter que tomar banho. Todo mês, me agarram, eu fujo, me perseguem, eu corro em volta da casa, me grudam, eu grito, me amarram, eu arreganho os dentes, me jogam no tanque, me ensaboam, me esfregam, entra sabão no meu olho, eu uivo, é duro. Nunca vi, até hoje, ninguém dar banho no gato.

Claro! Pensam que ele é asmático, sofre de bronquite, enxaqueca, resfriado, gastrite, micose e falta de ar! Isso, às vezes, me deixa com vontade de morder. Onde já se viu bichano mais folgado, que pensa que é o tal só porque sabe trepar na árvore feito bicho-preguiça? Só porque consegue andar equilibrando que nem bobo em cima dos muros?

O gato acha que a vida é comer, dormir, dormir e miar o dia inteiro! Nas horas de muita raiva, eu pego, fico escondido atrás do tanque de lavar cachorro, arreganho os dentes, arregalo os olhos e – zás! – dou um bote. É muito engraçado. O bichano aqui do jardim detesta levar susto à toa!

Quem também mora aqui no jardim é uma tartaruga. Ela deve ser bem velha porque não tem mais dentes, sua pele é toda enrugada e tem uma corcunda nas costas tão dura que ninguém consegue morder. Na verdade, ela é um cágado mas, não sei por quê, prefere mil e quinhentas e oitenta e sete vezes ser chamada de tartaruga.

A tartaruga do jardim é a calma em pessoa. Não rosna, não ronca, não late, não esquenta a cabeça nem fica afobada por nada de nada desse mundo. Pode cair a casa, alguém soltar rojão, esquecerem de trazer a ração ou o dono da casa virar fera que ela não liga a mínima. Continua lá, devagar quase parando, como se nada houvesse acontecido.

Acho que ela é molenga porque quer. O gato jura que viu a tartaruga dançando à noite, uma vez, depois que todo mundo foi dormir. Disse que ela saiu da casca e começou. Saltava pelo jardim, corria, rodopiava na ponta dos pés, plantava bananeira e dava cada cambalhota e cada pirueta que até Deus duvida.

Uma vez, ouvi contar a história de uma tartaruga, não sei quando nem onde, que apostou corrida com um coelho e venceu. Pode ser que sim, pode ser que não. Só sei que a tartaruga, parece mentira, demora dois dias e meio para ir e voltar daqui até o portãozinho da frente. Ninguém anda assim tão devagar. Nem lesma.

Vivo desconfiado de uma coisa, faz tempo. Alguém anda roubando minha ração e bebendo água na minha tigela. Para mim só pode ser alguém. Fui falar com a tartaruga. Perguntei olhando dentro dos olhos dela. Ela suspirou, cobriu o rosto com as patas, ficou vermelha e encolheu-se toda. Tartaruga é assim: quando sente culpa, desaparece dentro da casca e ninguém mais vê.

Tem ainda outro habitante aqui neste jardim: uma coisa mole e feia chamada sapo. Saiu um dia de um buraco perto da torneira atrás da árvore e foi ficando. Vive escondido no meio das folhagens, caçando mosca com a língua. O sapo nunca puxa conversa com ninguém.

Ou ele é muito envergonhado ou se acha melhor que todo mundo ou fez alguma coisa errada, porque, senão, para que viver escondido assim no mato longe de tudo e de todos?

Durante o dia, o sapo desaparece no buraco, mas quando a noite cai ele gosta de cantar. Canta olhando para a lua com a boca aberta e uma voz gaga de taquara rachada, enquanto as lágrimas pulam de seus olhinhos fechados. O gato espalhou que o coisa mole sofre do estômago de tanto comer mosca, taturana, minhoca e besourinho.

A tartaruga, um dia, começou a explicar o motivo daquele

chororô, mas demorou tanto, falou tão devagar, que acabei pegando no sono. Sempre achei outra coisa. Para mim, o sapo aqui do jardim vive triste porque não sabe latir, não tem pelo nas costas nem dentes pontudos nem rabo para abanar de vez em quando.

Tirando os donos da casa, que sabem trazer ração, sabem encher a tigela de água, sabem acender e apagar a luz, sabem brincar de luta, sabem levar a gente para passear, sabem fazer cafuné, sabem ficar furiosos, sabem dar vacina e sabem ir embora e voltar, o mais forte, o mais bonito, o mais esperto, talentoso, galante, especial, valente, genial, perigoso, corajoso, musculoso, audaz, intrépido e inteligente por aqui sou eu mesmo.

Quem toma conta da casa dia e noite espantando bandidos, passarinhos, fantasmas, visitas, moscas varejeiras e malfeitores? Eu. Quem late mesmo quando o barulho é na casa do vizinho, do outro lado da rua? Eu.

Quem é tão bravo, tão feroz, tão furioso que ataca até sapato esquecido no quintal, lata de lixo e roupa pendurada no varal dançando no vento? Eu. Quem tem a voz mais linda e afinada e sabe uivar feito lobo, de vez em quando? Eu. Quem é o melhor amigo dos donos da casa? Eu. Quem deixa meio mundo apavorado quando rosna, arrepia o pelo e arreganha os dentes? Eu, claro!

Não deixo nem besouro nem borboleta aterrissarem aqui de jeito nenhum. Quando a coisa-redonda-de-couro-que-pula do vizinho cai aqui, eu furo mesmo. Sou especialista na arte de espantar qualquer tipo de bicho de pena, escama, pelo ou pele. Corro atrás do leiteiro, do carteiro, do padeiro, do lixeiro, do tintureiro, do homem da luz e do jardineiro. Sei dar cada mordida que é uma beleza. Ando em volta da casa de peito estufado feito um marechal.

No fundo no fundo, preferia não ter que correr atrás das pessoas nem fazer tanto estardalhaço mas, assim, ninguém ia saber que quem manda aqui no jardim sou eu!

Meu nome é Gato

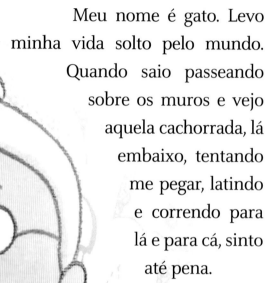

Meu nome é gato. Levo minha vida solto pelo mundo. Quando saio passeando sobre os muros e vejo aquela cachorrada, lá embaixo, tentando me pegar, latindo e correndo para lá e para cá, sinto até pena.

Cachorro parece que não tem jeito: ou é vira-lata e vive infeliz, passando fome, pedindo esmola na rua, ou é gordo, inchado e balofo feito um bolo de carne cabeluda pousado num jardim. Eu não. Eu sou livre. Se eu quiser ir embora, eu vou. Se eu quiser voltar, eu volto. Quando quero ficar, eu fico.

Moro em três casas ao mesmo tempo e tenho muita gente humana cuidando de mim. Por exemplo: prefiro passar o inverno na casa da velhinha de cabelo branco, a que mora aqui perto sozinha e tem uma coleção de gatos.

Um deles sou eu.

A casa dela tem lareira na sala e uma caminha pronta para cada gato, com travesseiro, fronha, lençol, cobertor e tudo. No inverno, a gente fica deitado de chupeta, ronronando de papo para o ar, se espreguiçando, tomando leite morno e comendo biscoitinho de araruta e bolo de mel.

Outra coisa. A mulher é um caso raro. Conversa com a gente como se gato fosse pessoa humana, conta histórias, mostra fotografias, comenta a novela da televisão, lê cartas em voz alta, pergunta nossa opinião sobre tudo, explica como era a vida dela antigamente, no tempo em que seu marido era vivo e as crianças moravam em casa, e ainda veste a gente com uns casaquinhos de tricô que ela mesma faz.

Gosto da velhinha menos quando ela esquece que a gente é gato e enche a tigela com comida de papagaio. É fogo. O papagaio lá no poleiro, abismado, olhando a tigela cheia de leite quente com miolo de pão, depois cuspindo, abrindo os braços e gritando palavrão, e a gente no chão miando desesperado diante daquela tigela com semente de girassol, banana, milho e cenourinha picada.

Minha outra casa fica na outra rua, no alto da outra ladeira, perto da outra praça. Lá é bom, tem leite com pãozinho boiando e até sardinha de vez em quando, se bem que "ele" mora lá. "Ele" é o inimigo número um dos gatos, pelo menos eu acho.

Estuda de manhã, mas à tarde está sempre em casa, rondando. Uma vez, era férias e ninguém me avisou. Tive a triste ideia de aparecer na casa de manhã. Sim, "ele" estava escondido atrás da moita. Sim, "ele" me agarrou. Sim, "ele" me levou para dentro de casa.

Sim, "ele" se trancou comigo no banheiro, prendeu um guardanapo branco no meu pescoço, passou creme de barbear na minha bochecha e aparou meus bigodes e os pelos da minha cabeça usando um barbeador elétrico. Fiquei careca e sem bigode, mas isso não foi nada.

"Ele" mora no segundo andar. Perto da janela do quarto dele tem um coqueiro. Um dia "ele" me caçou, me levou lá em cima e simplesmente me atirou da janela no coqueiro. Meu coração quase miou de tanto susto. Lembro de mim abraçado no tronco, suando frio, tremendo de medo, descendo devagar.

Quando cheguei embaixo alguém estava me esperando: "ele". E "ele" me agarrou todo simpático, me levou para o quarto, fechou a porta, beijou minha testa e lá fui eu, de novo, pelos ares. Na terceira vez, fui mais esperto. Desci o coqueiro devagarinho. Lembro da cara dele feliz da vida, de braços abertos, pronto para me pegar.

Quando cheguei perto, levantei a perna de trás, caprichei na mira e – pschidecatz! – fiz xixi no meio do olho dele. Acho que xixi de gato, além de fedido, deve arder um bocado porque "ele" saiu berrando, cuspindo e xingando e eu pude ir para minha outra casa sossegado.

Fora minhas duas casas, ainda tenho essa onde estou agora. Aqui é bom. Tem um menino chato mas em compensação tem uma menina que gosta de mim e me leva de vez em quando para o quarto dela. Infelizmente, tem uma tal de tartaruga que prefere passar a vida espionando a vida dos outros e inventando as piores mentiras o dia inteiro. Uma vez, arranjei uma namorada, uma gata de olhos lindos. A gente vivia apaixonado se beijocando pelos recantos do jardim. A tartaruga chamou a gata de lado e contou que eu tinha outras sete namoradas. É mentira! Eu tenho só três!

Nesta casa também tem um sapo que vive com dor de barriga, gemendo de tanto comer porcaria. No mundo existe tanta comida boa! Por exemplo, leite morno com pãozinho de forma boiando. Por exemplo, carne moída misturada com sardinha. Por exemplo, passarinho vivo. Contei para o cachorro daqui que o sapo tinha mania de comer mosca, formiga, pernilongo e besourinhos, mas é mentira. Acho que o sapo tem é comido a ração do cachorro. Quando ninguém olha, ele sempre vai e entra escondido na tigelinha.

Esta casa seria quase perfeita se não fosse o cachorro que mora aqui. Ele é o bobo mais alegre e pulguento que eu já vi na vida até hoje. Passa o dia inteiro latindo e correndo atrás de nada. Depois, come ração e faz cada cocô mole que dá medo. No fim do dia, quando o dono da casa aparece, ele pula e fica abanando o rabo só para chamar a atenção. Que besta! Acho que os cachorros são seres inferiores.

Uma coisa é certa. Quem é o bicho mais inteligente, mais esperto, mais ágil, mais sabido, mais atlético, mais charmoso, mais sensível e mais viajado do jardim? Eu. Quem conhece todas as ruas aqui perto? Eu. Quem tem três belas casas para morar? Eu. Quem é especialista em andar em cima de muros e telhados? Eu.

Quem tem sete vidas? Eu. Quem sabe tomar banho usando a própria língua? Eu. Quem consegue trepar em árvore e caçar passarinho? Eu. Quem tem três namoradas? Eu. Quem tem uma voz linda e suave? Eu. E os bigodes mais bonitos? E os pelos mais macios? E os olhos mais brilhantes? Quem sempre sabe dar um jeitinho de ganhar colo da menina? Eu, eu e eu!

Antigamente, esta casa vivia cheia de ratos e camundongos. Antigamente, esta casa vivia cheia de peixes dentro do aquário. Antigamente, esta casa vivia triste e abandonada, com um bobo alegre pulguento pulando pelo jardim, um sapo barrigudo e uma tartaruga mentirosa. Antigamente acabou. Agora eu estou aqui!

MEU NOME É SAPO

Meu nome é sapo. Vivo nesse lugar terrível, escondido dentro de um cano, perto do ferro que solta água que sai do muro coberto de trepadeira. Tudo isso fica no meio de um matagal imenso que cresce em volta de um castelo mais imenso ainda. É muito perigoso viver aqui. Existem animais selvagens soltos em volta do castelo. Um deles é imenso, cabeludo, feroz, maligno, dentuço e selvagem. O estranho animal gosta de latir e abanar o rabo. Uma vez me apertou com os dentes só porque eu passei perto da tigela de comida dele.

Acho que esse bicho deve ser meio louco. Às vezes, cisma e começa cavar buracos a esmo no meio da floresta. Às vezes, está calmamente deitado, dormindo e roncando.

De repente, levanta a cabeça, salta e parte correndo, com os pelos arrepiados, latindo, rosnando e berrando. Eu, que durmo durante o dia e vivo quieto no meu canto, quase morro de susto. Tanto alvoroço é sempre por causa de nada. Dali a pouco, o monstrengo volta, deita e continua dormindo como se nada houvesse acontecido. Detesto esse monstro cabeludo. Além de louco furioso, tem mania de atacar e comer minhas mosquinhas.

Tudo aqui, esse espaço imenso que começa lá bem longe, do outro lado, no portão da frente do castelo, passa pelos corredores laterais, a escada da cozinha, a garagem e o quintal, até aqui atrás no fundo, pertence ao gigante careca e à giganta imensa enrolada num pano colorido.

São eles que alimentam os animais selvagens. São eles que jogam água no matagal. Quando querem, mandam os gigantes pequenos pegarem o bicho cabeludo e colocarem no tanque cheio de espuma. O monstro que late pode até ser forçudo, pode saber morder, mas, perto deles, vira um nenê de colo. O rabudo detesta ir pro tanque. Treme, chora, arreganha os dentes, pede pelo amor de Deus, ameaça e esperneia. Os gigantes pequenos nem ligam.

O outro animal selvagem daqui também é de dar medo. É menos cabeludo mas tem bigodes compridos. Consegue trepar nas árvores feito macaco, anda se equilibrando sobre o muro e desaparece de vez em quando. Esse bicho não late mas mia muito. Não sinto nenhuma confiança perto dele. Não gosto daqueles olhos parados. Não gosto daquela cara de tacho. Não gosto daquele bigodinho metido.

O bicho que mia gosta de cheirar a minha cara. Fica me olhando sem mexer um músculo. Às vezes me dá unhadas. Sei como ele caça e mata os passarinhos. Uma vez ele assassinou o rato que estava hospedado no meu cano. Um pesadelo me persegue: qualquer hora dessas o monstro que mia vai querer saltar em cima de mim.

Outro perigo desse lugar é o gigante pequeno. Uma vez, ele me caçou com uma rede, me levou para casa dentro de uma caixa, me colocou num lugar escuro e fechou a porta. O lugar era até bem quentinho.

Acabei dormindo.

Foi quando a terra tremeu, a porta abriu, senti uma luz forte e vi aquela pata gorda e imensa entrando. Tentei me encolher mas a pata de unhas compridas me agarrou. Senti uns dedos enormes me apalpando, me pegando e me analisando.

De repente, a pata imensa me puxou. Foi a pior gritaria que eu já escutei na vida até hoje. Aquela pata era da giganta imensa de pano na cabeça. Eu tinha ido parar na bolsa dela. A giganta ficou pululando desesperada pela sala. Fiquei pululando também. Lá fora, o monstro cabeludo latia sem entender nada.

Vi o gigante pequeno sentado no bicho morto de pano, chorando de rir enquanto a giganta pequena uivava em cima de um bicho morto de madeira. O gigante careca apareceu zangado e tentou arrancar a orelha do gigante pequeno. No fim, alguém me encontrou escondido embaixo do bicho morto de pano e me atirou pela janela no meio do matagal de qualquer jeito.

Quando eu digo que a vida aqui é difícil é porque é. Em primeiro lugar, é arriscada por causa dos monstros selvagens. Depois, a comida é pouca. Como detesto sol forte, costumo sair à noite para tentar caçar minhas mosquinhas, meus besourinhos, minhas mariposinhas.

Infelizmente o monstro cabeludo gosta de comer minhas mosquinhas, mas eu inventei um truque secreto: entro na tigela de comida dele e fico escondido de tocaia. De repente, sempre, aparece algum bichinho gostoso, aí eu nhoct!

Outra coisa: é triste viver sozinho. Eu vivia feliz no matagal, mas um dia me trouxeram no meio de umas plantas. Às vezes, quando durmo, sonho com um lago silencioso e escuro cercado de areia branca. Em volta, aquele matagal úmido. No sonho, apareço deitado numa pedra tomando banho de lua. De repente, surge uma sapa. Vem nadando na minha direção. Que olhos lindos esbugalhados! Que pele enrugadinha! Que mãozinha fria e delicada!

A sapa sai da água e, sorrindo, traz um monte de mosquinhas só para mim! No sonho, a gente começa a conversar. Conversa vai, conversa vem, a gente se beija. No dia seguinte, quando acordo, é aquela decepção. Aqui estou eu sozinho, morando nesse cano sujo, no meio de um imenso, selvagem, perigoso e inesperado matagal.

Vou dizer uma coisa. Minha única esperança é a tartaruga. Sei o nome dela porque não resisti, fui lá e perguntei. Sinto que a gente podia fazer um monte de coisas juntos. Ela é sozinha, eu também. Ela é calma, eu também. Ela é discreta, eu também. Ela é caseira, eu também. Já perguntei se ela quer ser minha namorada. Já pedi a mão dela em casamento. Já prometi mundos e fundos. Por enquanto, ela não disse nem sim nem não. Uma vez, procurei a tartaruga e avisei: "Um dia a gente vai se casar. Um dia você vai ser minha, a gente vai morar junto e encher esse mundaréu de filhotinhos". Ela fez uma careta simpática, ficou toda vermelha e correu para dentro da casca. Gosto cada vez mais dessa tal de tartaruga. A gente é diferente, eu sei. E daí? Sinto meiguice nos olhos dela. Sinto firmeza no jeito dela. Acho que ela ia dar uma esposa e tanto. Só não tenho certeza de uma coisa. Se por acaso a gente, talvez, quem sabe, um dia, casar e tiver filhos, nossos filhotes serão tartapinhos ou saparuguinhas?

Outro dia, escutei o animal selvagem peludo que mia e aprecia subir em árvores dizendo que a minha querida tartaruga na verdade é um cágado. Prefiro nem pensar numa coisa dessas. Já pensou o nome dos nossos pobres filhinhos?

Meu nome é Tartaruga

Meu nome é tartaruga. Moro aqui há vinte e oito anos, cinco meses, duas semanas e três dias. Antigamente, o dono da casa era um homem imenso, careca, casado com uma mulher imensa com um pano na cabeça. O casal tinha dois filhos: um menino imenso e outro menino imenso, um pouco menor.

Todo dia de manhãzinha, a mulher de pano na cabeça vinha regar o jardim. Regava as plantas, as árvores, o gramado e tinha mania de

me regar também. Era até gostoso. Fora isso, a mulher sempre trazia um pouco de banana para eu comer. O tempo passou. O homem imenso e careca ficou velho e foi embora. A mulher imensa de pano na cabeça ficou velha e foi embora.

O menino imenso espichou, deixou crescer o bigode e nunca mais apareceu. O menino menos imenso cresceu, ficou alto e careca, casou com uma mulher imensa de pano na cabeça e mora aqui até hoje. O casal tem dois filhos: uma menina imensa de óculos e um menino imenso de cabelo espetado.

Aqui nesta casa já moraram muitos bichos. Gatos, por exemplo, acho que já foram mais de sete. Nunca vou me esquecer de um cinzento de rabo grosso. Foi o maior caçador de ratos e passarinhos que eu já vi até hoje. Sabia deitar de costas no chão e ficar parado durante horas fingindo-se de morto.

O rato aparecia no alto do muro, farejava o gato e ficava com medo. O gato no chão não mexia um músculo e ainda abria a boca com a língua parada para fora. Eu ficava espiando de longe. No fim, o coitado do rato acabava descendo pelo galho da árvore para procurar comida perto da cozinha. De repente – zás – o gato saltava nas costas do rato, o bicho gritava socorro mas aí já era tarde.

Com os passarinhos, o danado usava a mesma técnica. Depois, ficava passeando risonho pelo jardim, com a boca cheia de penas amarelas, ronronando, miando e arrotando feliz da vida.

O gato que mora agora aqui é um infeliz. Não para em casa, não está nem aí, só quer saber de comer e dormir e não sabe nem caçar direito, tanto que outro dia fugiu de uma ratazana enfezada. Eu vi! Não vou falar do sapo porque ele não larga do meu pé e é a coisa mais mole, flácida e horrorosa do jardim inteiro. Além disso, quando cisma de cantar à noite, ninguém aguenta nem consegue dormir.

Um casal de galinhas-d'angola morou aqui faz tempo. Passava o dia assim: o marido gritando: – tô fraco! a esposa respondendo: – tá fraco? Um dia, a mulher imensa de pano na cabeça perdeu a paciência, pegou os dois pelo pescoço, levou para a cozinha e eles nunca mais voltaram.

Teve também um coelho, dois *hamsters*, vários passarinhos engaiolados, um papagaio que sabia gritar socorro, chamar a polícia e que de vez em quando fazia voz grossa e dizia: "cacete de cobra", isso fora os cachorros.

Que eu lembre, o primeiro que morou aqui foi um grandão imenso e peludo. O bicho era muito obediente, sabia dar a pata, bater continência, ficar em pé abanando o rabo, fazia suas necessidades sempre no mesmo lugar e não fugia nem quando o dono da casa esquecia o portão aberto. Acontece que o homem imenso e careca tinha uma coisa barulhenta de ferro que anda. Uma noite, o cachorrão olhou a coisa parada na garagem, chegou perto, farejou e teve uma triste ideia. Resolveu mordiscar ela inteirinha.

Lembro dele mastigando inocente e feliz. Puxou todos os fios, arrancou e comeu as partes moles, roeu, quebrou e ainda fez um furo no lugar de sentar.

No dia seguinte, o patrão apareceu de luva, casaco de couro, cachecol, bota e capacete. Ficou paralisado na frente da coisa barulhenta de ferro. Depois, foi tanta gritaria que sinto medo até hoje só de lembrar.

O cachorro que veio depois era um desses baixinhos de orelha caída com corpo comprido e pata curta. Era o contrário do primeiro: se deixassem a porta da cozinha encostada, entrava e roubava comida; se esquecessem o portão aberto, fugia para a rua; se bobeassem, entrava em casa, subia na cama e se escondia debaixo do cobertor para tirar uma soneca.

O coitado vivia apanhando e levando bronca, mas acho que não ligava. Uma vez, achou a carteira do homem imenso e careca caída na rampa e comeu tudo: a carteira propriamente dita, muitas notas de papel, umas bolinhas chatas de ferro e uns papéis com a cara do patrão presa. Como não sobrou nada, ninguém desconfiou dele.

Lembro do dono da casa e da mulher imensa de lenço na cabeça agachados no chão, desesperados, segurando uma lanterna, procurando a carteira perdida. No dia seguinte, o cachorro teve uma dor de barriga daquelas. No meio do cocô apareceu uma nota rasgada e mastigada, pedaços de couro e plástico, duas bolinhas chatas de ferro e um papel colorido com a cara da mulher imensa. Melhor nem lembrar o que aconteceu!

Nos dias de hoje, tem outro cachorro morando aqui em casa. É grande, forte, elegante, ágil, perfumoso, esbelto e tem o pelo tão sedoso que parece veludo. Preciso confessar uma coisa. Acho que estou apaixonada pelo cachorro aqui do jardim. Nem sei como explicar: foi amor à primeira vista. Só de pensar nele, meu coração até treme e bate mais depressa.

Ele é lindo. É fofo. Sabe latir bonito. É alegre. É valente, se bem que outro dia soltaram fogos, bombinhas e rojões. O coitado ficou tão assustado que se agarrou no tronco, trepou na árvore, subiu e ficou lá no alto chorando sem saber descer.

Às vezes à noite, depois que todos já foram dormir, eu saio do meu cantinho e vou espiar o cachorro. Em geral, ele dorme na varandinha. Chego de mansinho e fico só olhando. Gosto do jeito como ele apoia a cabeça sobre as patas. Gosto do focinho arrebitado dele. Gosto dos suspiros que ele solta de vez em quando e até das pulguinhas passeando no meio dos seus pelos de veludo.

Eu sei que sou só uma simples tartaruga. Eu sei que sou meio sem graça. Posso até ser um pouco envergonhada, mas sei que sou muito legal. Já passei mais de mil vezes perto dele andando devagarinho só para ver se ele repara em mim. Ele não está nem aí.

Não faz mal. Acho esse cachorro um bobalhão. Não entende das coisas. Não sabe como eu sei ser carinhosa, como eu sou delicada, como eu sei falar coisas bonitas bem baixinho. Se ele ficasse comigo, eu ia contar mil histórias para ele dormir, ia fazer massagem nas costas dele, ia catar suas pulguinhas, ia fazer cafuné atrás da orelha e ainda enchia ele de beijinhos. Azar dele!

Meu nome é Akira

Meu nome é Akira. De manhã, vou à escola e, à tarde, fico zanzando por aí. O tipo da coisa que eu gosto é, por exemplo, jogar futebol na rua todo fim de tarde quando não chove muito.

O Zé Carlos chega da escola lá pelas cinco, passa em casa e assobia. Eu troco de roupa, desço e a gente vai batendo bola, passa no Rodrigo, no Peter, no Cadu, no Cezinha, outros caras aparecem, e o jogo começa.

Quando tem pouca gente, o jeito é jogar bobinho. Quando vem todo mundo a gente arma as traves com pedaços de tijolos e joga três contra três com goleiro linha, ou quatro contra quatro com goleiro fixo. Às vezes dá cada briga que eu quase engasgo de tanto dar risada.

Outra coisa legal é um negócio que eu faço escondido. Na hora do banho, às vezes, vou com uma malinha para o banheiro. Levo uma capa, um óculos, um chapéu antigo do meu avô, um cachecol, uma peruca, uma rolha, uma dentadura de vampiro, um fósforo e molho de tomate. No banheiro já tem talco, batom, pasta de dente e sabonete. A brincadeira é a seguinte: inventar

personagens malucos diante do espelho. Encho a cabeça de talco, ponho os óculos, cachecol, gravata-borboleta e viro um velhinho de noventa e nove anos.

Molho o cabelo, faço desenhos com o batom, na cara e no corpo, e viro um índio ianomâmi selvagem. Queimo a rolha e, com a ponta preta, desenho barba, bigode, sobrancelha e costeleta, enterro o chapéu na cabeça e viro caipira. Passo talco na cara até ficar bem pálido, faço olheiras com a rolha, ponho molho de tomate e espuma de pasta de dente no canto da boca e viro cadáver assassinado a sangue frio. É superjoia!

Aqui em casa tem vários bichos. Uma tartaruga que faz séculos que eu não vejo, um gato nojento e o Lalau, um pulguento tão incompetente que fura todas as bolas de futebol, avança em gente conhecida, mas pula de felicidade e enche gente estranha de terra e baba. Já falei para o meu pai: qualquer dia vai entrar ladrão em casa.

A única vantagem do Lalau é que ele gosta de lutar na grama do quintal. Aí eu pulo em cima dele, ele me morde, eu mordo ele e a gente se diverte pra burro.

Pra nossa casa, o certo era ter um desses filas gigantes e malignos capazes de transformar criminoso em maionese. Na casa amarela perto da esquina tem um. O bicho faz cada cocozão que deve pesar bem mais de dois quilos, no mínimo. O Marcelo contou que, um dia, um ladrão entrou lá. O fila deu um bote, arrancou a orelha, um pedaço do nariz e até as cuecas do infeliz. Depois, mastigou tudo e engoliu, enquanto o sujeito rezava e uivava. Não sei se é verdade, mas Deus me livre! Isso é o que eu chamo de um cão de guarda no duro!

De noite, quando meu pai vai ao cinema com minha mãe, a gente fica sozinho, eu e a Teca. Dá um pouco de medo. E se a gente estiver vendo televisão ou tocando piano a quatro mãos e um ladrão

cortar o fio do telefone e cismar de querer arrombar a porta da frente de surpresa?

Debaixo da minha cama, tem uma caixa de sapato onde guardo minhas armas secretas: um apito dos grandes, um saco de bombinhas, mil tachinhas e um gravador portátil com uma fita gravada por mim e pela Teca, cheia de vozes de vampiro e fantasmas do além. No dia em que eu sentir que entrou ladrão em casa, chamo a Teca, abro a janela e, enquanto ela apita, jogo todas as bombinhas e ligo o gravador no último volume. Quero ver a cara da besta quadrada do ladrão.

A Teca é a queridinha do papai. Parece uma dondoca cheia de fru-fru-fru e nhe-nhe-nhem. Demora três horas para vestir uma roupa. Demora três horas para pentear o cabelo. Demora três horas para decidir se vai ou não vai. Resultado: aqui em casa quem faz tudo sou eu. Acho a pior injustiça desgramada.

Quem ajuda, na marra, minha mãe a guardar as compras do supermercado no armário da cozinha? Eu. Quem é obrigado a trocar, na marra, todas as lâmpadas queimadas da casa? Eu. Quem precisa buscar, na marra, a escadinha de ferro, quando minha mãe resolve pegar sei lá o quê no alto do armário? Eu. Fora isso, vivo espremendo as laranjinhas para o suquinho porque a coitadinha da Tequinha tem a mãozinha muito delicadinha!

Tenho que tirar as compras do carro porque a Teca agora está estudando. Tenho que carregar o lixo até o portão porque a Teca não tem força. Tenho que tirar fotocópia na papelaria porque é perigoso a Teca andar sozinha na rua.

Minha irmã é a pior mimada que existe na face da terra. Lógico que ela só tira nota boa na escola! Ela tem todo o tempo do mundo para estudar, enquanto eu vivo ocupado, desesperado, trabalhando mais que condenado à morte.

Às vezes, à noite, depois que meu pai chega do trabalho, a gente fica conversando na sala. Minha mãe gosta de contar histórias. Meu pai, às vezes, conta cada piada que, se eu

repetisse aqui, este livro ia ser terminantemente proibido nas escolas do Brasil e do resto do mundo. A gente se escangalha de dar risada. A Teca, uma vez, riu tanto que fez xixi na poltrona, sem querer.

Agora, vive brigando comigo só porque eu contei tudo pro Carlão. A Teca é completamente apaixonada pelo Carlão. Contei mesmo! Qual o problema? Não vou com a cara do Carlão, se bem que a Carminha, irmã dele, é a coisa mais linda da rua, do bairro, da cidade e do Brasil inteiro.

A Carminha parece modelo de revista. Quando ela passa dá um suspiro apertado na barriga. Quando eu tiver mais ou menos dezesseis anos, vou tentar namorar com ela. Por enquanto é humanamente impossível porque eu só tenho onze anos e a Carminha vai fazer dezoito e até já está treinando para tirar carteira de motorista.

Quase todo mundo tem cachorro, gato e tartaruga mas pouca gente tem um sapo, como eu. Seu nome é João. De dia, o João dorme escondido. No fim da tarde, sai para caçar. É muito legal. O João lá, paradão, fingindo-se de morto. A mosca chegando. A língua do João é comprida e rápida feito um foguete. Seu corpo fica parado mas a língua sai traiçoeira e – catapimba! – adeus para sempre, mosca mole. Moscou, dançou.

Quando eu crescer, acho que vou querer andar de moto que nem meu avô e saber lutar judô que nem meu outro avô. Os dois já morreram. Meu pai conta que o pai dele era motoqueiro e, uma vez, pegou uma mancha de óleo na estrada, caiu e ficou com uma perna mais curta que a outra. Meu outro avô era japonês de verdade, sabia falar japonês, lia e escrevia em japonês e tudo. Minha mãe disse que ele era faixa preta, deu aula de judô e nunca ficava bravo mas quando ficava era um deus nos acuda.

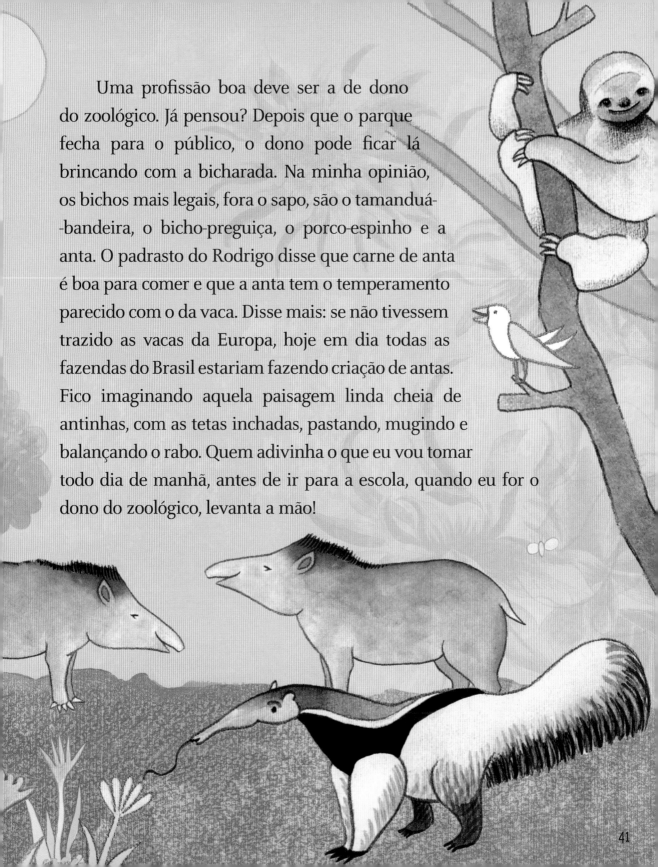

Uma profissão boa deve ser a de dono do zoológico. Já pensou? Depois que o parque fecha para o público, o dono pode ficar lá brincando com a bicharada. Na minha opinião, os bichos mais legais, fora o sapo, são o tamanduá-bandeira, o bicho-preguiça, o porco-espinho e a anta. O padrasto do Rodrigo disse que carne de anta é boa para comer e que a anta tem o temperamento parecido com o da vaca. Disse mais: se não tivessem trazido as vacas da Europa, hoje em dia todas as fazendas do Brasil estariam fazendo criação de antas. Fico imaginando aquela paisagem linda cheia de antinhas, com as tetas inchadas, pastando, mugindo e balançando o rabo. Quem adivinha o que eu vou tomar todo dia de manhã, antes de ir para a escola, quando eu for o dono do zoológico, levanta a mão!

Meu nome é Teca

Meu nome é Teresa Kimi Rodrigues, mas todo mundo só me chama de Teca. Vou fazer 10 anos e estou no 5º ano. Aqui em casa moram meu pai, minha mãe, eu e meu irmão. Minha vida é boa mas às vezes enche um pouco.

Por exemplo: esta casa foi construída no tempo do meu avô e está caindo aos pedaços. Precisa de uma reforma urgente. Precisa mandar pintar as paredes. Precisa trocar os móveis da sala. Meu pai diz que fica caro e que agora está sem dinheiro.

É fogo convidar uma amiga para vir aqui e ter que sentar num sofá todo puído e meio manchado, na frente de uma televisão velha

horrorosa, ao lado de uma parede desbotada, perto de um aparelho de som tão podre e esclerosado que dá nojo.

Uma coisa legal é que aqui em casa tem piano. Adoro tocar piano. Estou aprendendo há dois meses e já sei três músicas inteiras, uma mais ou menos e outra quase pela metade. De tarde, quando estou sem nada para fazer, fecho a porta da sala, sento e fico tocando, tocando, tocando. Uma vez, estava treinando a segunda parte de uma música e de repente escutei um barulhinho – ploct. O ruído parecia longe e perto, ao mesmo tempo. Toquei mais um pouco e lá veio o ploct de novo. Resolvi espiar pela tampa. Descobri que meu querido irmão tinha guardado o sapo dele dentro do piano.

A pior coisa nessa casa é o Akira.

Primeiro: o Akira é o maior bagunceiro que eu já vi na vida até hoje. Consegue largar um tênis na sala, outro no banheiro e a cueca usada no meio do corredor. Segundo: o Akira é o pior vagabundo, não estuda coisa nenhuma e só tira nota vermelha. Eu, por exemplo, vivo tirando dez em matemática e faço cada redação que a professora ama. Terceiro: o Akira não toma banho. Ele diz que toma, mas é tudo mentira. Outro dia, meu irmão entrou no banheiro, ligou o chuveiro, ficou lá quase

duas horas e saiu com a cabeça sequinha, a cara meio manchada e o joelho sujo de terra. Quarto: o Akira tem mania de assistir futebol. Às vezes vai passar um programa legal, um filme de suspense, e sempre dá a maior briga por causa do maldito campeonato de futebol. Quinto: o Akira é o queridinho da mamãe. Ela faz tudo para o Akira. Sempre é a vez do Akira. Nunca o Akira precisa ajudar em nada.

Sou a escrava da casa. Quem vive colocando os pratos e talheres na mesa? Eu. Quem leva bronca quando quem fez a bagunça na sala foi o Akira? Eu. Quem é obrigada a ir com a mãe fazer compras no supermercado? Eu. Quem às vezes precisa ajudar a lavar a louça? Eu, claro! Enquanto isso, o mimadão fica lá no quarto aprontando e fazendo besteira.

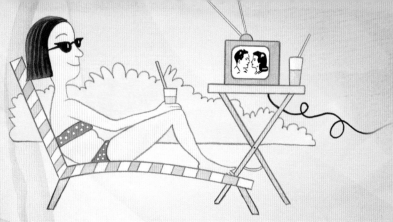

Já falei para minha mãe, mais de um milhão de vezes, que hoje em dia todo mundo tem, no mínimo, duas televisões de 29 polegadas em casa. Ela me beijou e disse que agora não dá, que o dinheiro anda curto. Quando eu crescer, vou casar com um cara bem rico só para convidar o Akira. Queria ver a cara dele diante da minha mansão e eu lá na beira da minha piscina, de óculos escuros, comendo o meu sanduíche duplo, chupando o meu sorvete de três bolas, tomando o meu refrigerante, assistindo a minha televisão particular!

Se por acaso eu não conseguir achar nenhum multimilionário, vou querer ser médica dona de hospital, artista de novela ou gerente de banco. Acho que a pessoa mais rica, fora o presidente da república, é o gerente do banco. Enquanto o futuro não chega, vou levando minha vidinha.

Às vezes gosto de pegar o gato e trazer para o meu quarto. Ele é limpinho e muito bem comportado. Às vezes gosto de picar uma banana e deixar no quintal para a tartaruga comer. Às vezes seguro o Lalau para meu pai dar vacina. Às vezes chamo o Akira para ajudar a dar banho no Lalau. O Lalau adora tomar

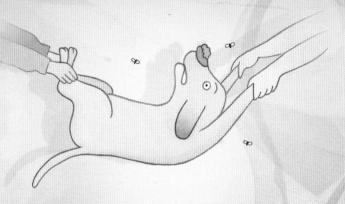

banho no tanque. A gente passa xampu antipulga, desodorante, colírio, limpa os ouvidos com cotonete, escova os dentes e tudo. Depois, o Lalau fica todo feliz latindo e se chacoalhando pelo jardim.

Uma coisa legal aqui em casa é que quase sempre tem história depois do jantar. Se um dia é o meu pai que conta, no outro é a minha mãe. Vale tudo. História contada de boca, história lida de livro e história inventada na hora. Às vezes a gente conversa sobre mil assuntos. Meu pai gosta de falar de como era no tempo em que ele era criança, as besteiras que ele fazia na escola, a vida da vovó e do vovô. Pena que eles já morreram. Pena que meu pai chega cansado do trabalho e às vezes dorme no meio da história. Minha mãe prefere ler pra gente os dois livros sagrados dela: *Contos tradicionais,* do Câmara Cascudo, e o *Contos e lendas* do Japão. É superlegal. Tem cada história que até Deus duvida. De vez em quando ela conta as viagens que ela já fez. Agora minha mãe trabalha de secretária no consultório do Dr. Tito mas antes ela foi pro Japão, trabalhou de aeromoça e conheceu trezentos mil lugares por aí.

A pior coisa aqui em casa, fora o Akira, é quando meus pais brigam. Os dois discutem, ficam de cara amarrada, a gente fica nervoso e é chato pra chuchu. Quando fazem as pazes, é um alívio instantâneo.

O Akira também tem aula de piano. Tem duas músicas que a gente toca juntos. Eu faço a mão esquerda e ele a direita. A gente vive tocando e é tão legal que a gente já combinou: quando crescer vamos formar uma banda de rock pauleira.

A única coisa boa do Akira é o Rodrigo, um amigo dele. O Rodrigo é bem mais velho. Tem quase treze anos e está no oitavo ano. A Rosana, irmã dele, me contou que ele em casa é o maior bagunceiro,

não estuda nada, vive levando bronca, tem mau hálito, arrota na mesa, solta pum de propósito e além de tudo é mimado. Duvi-de-o-dó! A Rosana é uma chata-besta-burra-anta--metida-fofoqueira-mentirosa de uma figa.

O Rodrigo é o cara mais lindo do colégio inteiro. É um gatinho. Sabe tocar violão. Usa aparelho de dente. É cheiroso. Anda de skate. Tem só um pouco de espinha, o cabelo jeitoso e físico de surfista.

O Akira veio dizer que o Rodrigo nada feito uma âncora. O Akira só abre a boca para dizer besteira.

Meu nome é Antonio

Meu nome é Antonio Carlos de Freitas Rodrigues.

Nasci nesta casa e continuo morando aqui até hoje. Depois que meus pais morreram ela ficou para mim e para meu irmão.

O nome dele é Luís Carlos, mora em Brasília e é funcionário público. Como ele tem um ótimo salário, a gente combinou que eu podia continuar morando na nossa casa. Isso para mim tem sido ótimo, pois meu salário é baixo, vivo apertado e jamais teria dinheiro para pagar o aluguel de uma casa desse tamanho.

Há uns onze ou doze anos, fiz uma viagem de avião para João Pessoa e, durante o voo, conheci a Lúcia. Ela era aeromoça. Achei a Lúcia a japonesinha mais linda do mundo e senti que ela se interessou por mim também. A gente conversou um pouco, mas ficou nisso.

Uma semana depois, no voo de volta, entrei no avião e quem era a aeromoça? A Lúcia. A gente sorriu um para o outro, conversou mais e depois que o avião aterrissou

perguntei a ela se a gente podia se ver de novo. No começo ela não queria. Eu insisti e no fim ela topou. A gente então trocou os telefones, se encontrou no dia seguinte e bateu o maior papo. Fiquei apaixonado pela Lúcia, pois vi que além de linda era muito inteligente, divertida e interessante. Só sei que a gente começou a namorar, acabou se casando e hoje temos dois filhos: o Akira, de onze anos, e a Teca, de dez. A vida é assim. Se eu tivesse pegado outro avião talvez hoje minha vida fosse completamente diferente.

Estou muito feliz com meus dois filhos. Eu e a Lu tivemos sorte pois nasceu um menino e uma menina. Temos um casalzinho. Pra mim, nossa família já está completa. Às vezes eles brigam um pouco mas isso faz parte. É competição, não tem jeito. Com a idade passa. Eu e o Luís Carlos vivíamos implicando um com o outro, volta e meia o pau quebrava, e hoje somos grandes amigos.

A Lu e eu achamos importante para educação das crianças dividir as tarefas da casa. Queimou uma lâmpada, precisou ir na papelaria tirar fotocópia, é dia de o lixeiro passar? Assunto do Akira. Ajudar a Lu a fazer compras no supermercado, lavar a louça e botar a mesa? Assunto da Teca. Tirar a mesa depois do jantar é sempre com os dois. Se tiver muita louça para lavar ou a compra do supermercado for das grandes, os dois têm que ajudar a mãe.

Na minha opinião, três filhos talvez fossem a conta ideal. Mas e dinheiro para ter mais um filho? Só de pensar no tamanho da conta do enxoval, consultas, exames médicos, ultrassom e maternidade, sinto um friozinho apavorado na barriga.

A verdade é que trabalho muito, dou um duro danado e mesmo assim vivo afogado num mar de contas e dívidas. É supermercado. É escola das crianças. É material escolar. É aula de piano. É roupa. É tênis. É médico. É faxineira duas vezes por semana. É prestação do carro. É vazamento no banheiro. É o telhado que precisa arrumar. É fogo! São contas, contas, contas e mais contas chovendo feito um temporal desgovernado em cima da minha cabeça.

Já falei para a Lu. Por mim, eu dava essa bicharada de presente. A gente gasta um dinheirão por mês e ainda tem que comprar ração

para cachorro e gato e ainda umas frutinhas para a tartaruga, que aliás quase ninguém vê.

Bicho doméstico em geral não serve para nada. Quando eu era criança a gente tinha uma pastora alemã em casa. Seu nome era Olívia. Não lembro direito, mas minha mãe contava que uma noite entraram dois ladrões, roubaram televisão, máquina de lavar roupa e um monte de coisas. A Olívia não fez nada e ainda balançou a rabo de felicidade. Quando os bandidos foram embora, meu pai ligou apavorado para a polícia. Os guardas chegaram tocando sirene mas aí a Olívia não gostou. Ela era grande, ficou enfezada, e quem disse que a polícia conseguiu entrar em casa?

Por mim, eu doava todos os bichos desta casa para a sociedade protetora dos animais. O problema é que a Lu ama o gato dela e aí não tem jeito.

Além disso, meus filhos também gostam e tratam muito bem deles. Os psicólogos dizem que cuidar de animais é importante para a formação das crianças.

O Lalau pelo menos serve para alguma coisa. É pequeno mas metido a bravo. Se algum suspeito entrar aqui em casa, acho que ele passa o dente. Pelo menos vai latir muito. Hoje em dia isso é importante. Não tenho dinheiro para pagar guarda-noturno.

Apesar do dinheiro apertado, a gente até que leva uma vidinha bem gostosa. Com o salário que eu recebo mais o que a Lu ganha no consultório trabalhando meio período dá pra gente ir levando.

Meu medo são os gastos imprevistos. Doenças repentinas que sempre resultam em compra de remédios na farmácia. Coisas da casa que quebram, é preciso comprar de novo e custam uma nota. Ter que levar o carro no mecânico. É por essas e outras que eu adoro nosso aparelho de TV. Ele é de ótima qualidade, daqueles antigões que não pifam nunca. Tenho certeza de que tão cedo a gente não vai precisar trocar.

Todas as noites, sempre que posso, gosto de contar histórias para meus filhos. Meu pai contava para mim e meu irmão e achei importante manter o hábito com as crianças. Só que nunca consigo contar uma história até o fim. É que quando chega umas nove da noite o Akira e a Teca já estão mortos de cansaço e quase sempre dormem no meio da história.

Mesmo com pouco dinheiro, gosto muito de sair com a Lu para jantar fora. Vamos num restaurante baratinho aqui perto de casa. Nessas ocasiões, a gente bota as conversas em dia. É sempre romântico. Às vezes a gente vai ao cinema, mas é raro. Fica muito mais barato assistir TV em casa.

Meu sonho secreto é um dia comprar uma motocicleta. Das grandes. Meu pai tinha uma e eu aprendi a andar nela. Infelizmente, no momento não dá. Se mal tenho dinheiro para pagar a prestação do carro, vou comprar uma moto como?

Além disso, tem o problema de Lalau. Lembro até hoje da Olívia. Uma noite, ela roeu a moto do meu pai inteirinha e o velho quase teve um enfarte do miocárdio.

Na época eu morri de dar risada vendo a moto toda roída e arrebentada, aqueles pedaços de moto espalhados pelo jardim e meu pai quase tendo um treco, mas se um dia eu comprasse uma motocicleta novinha em folha e o Lalau ousasse morder a danada, não sei não. Acho que ia ter um cachorricídio nessa casa.

Meu nome é Lúcia Satiko

Meu nome é Lúcia Satiko Ishida Rodrigues. Sou casada com o Antonio Carlos e tenho dois filhos, minhas duas gracinhas, minhas pedras preciosas, meus docinhos de coco: o Antonio Akira e a Teresa Kimi.

Conheci o Toninho há treze anos numa viagem de avião. Eu era aeromoça da Varig. O voo era o São Paulo-Recife com escala em João Pessoa. A aeronave decolou do Aeroporto de Congonhas. Lembro

da fila de passageiros entrando a bordo.
No meio deles apareceu um rapaz lindo
de morrer. Não era muito alto, tinha
um jeitão alegre e uma cabeleira
maravilhosa. Fiquei apaixonada
por aqueles cabelos rebeldes e
esvoaçantes. Percebi que ele
também se interessou por mim,
mas a gente só trocou olhares.

Dias depois, no voo Recife-São Paulo de volta, quem aparece entre os passageiros? O moço de cabelo bonito. Era o Toninho. Depois ele ficou careca, mas naquele tempo... Como a viagem de João Pessoa até São Paulo era longa, deu para a gente conversar um pouquinho. No fim, ele me chamou de lindinha e me convidou para sair no dia seguinte. Não resisti ao charme do Toninho e a gente está casado até hoje. Foi o destino, tenho certeza: meu signo é Sagitário e ele é Peixes. Somos almas gêmeas. Já estava escrito nas estrelas que a gente um dia ia se encontrar e ser feliz para sempre.

Não é por serem da gente, mas eu e o Toninho tivemos muita sorte. Nossos filhos são as crianças mais bonitas que eu conheço, juro mesmo. Além de lindas, são inteligentes e espertas demais. Vejo os filhos das minhas amigas e não dá para comparar. A Teca e o Akira são melhores em tudo! É uma coisa impressionante. Já falei para meu marido: acho que os dois devem ser superdotados. Só pode ser.

Quando fiquei grávida do Akira, decidi que não ia dar mais para ser aeromoça. Queria ter tempo para cuidar do meu filho direito. Um ano depois veio a Teca. Com dois bebês em casa, o trabalho ficou dobrado. Durante um bom período, minha vida foi amamentar, trocar fraldas e cuidar de crianças. Só quando a Teca completou 3 anos senti que dava e saí para procurar um emprego de meio período. Primeiro fui recepcionista na academia de judô que era do meu pai. Hoje trabalho no consultório do doutor Tito Ribeiro de Almeida no período da manhã.

Meu sonho secreto é ter no mínimo seis filhos. Acho dois filhos muito pouco. As raras brigas do Akira e da Teca surgem exatamente por causa disso. É ciúme. Com seis filhos nada disso ia acontecer. É tanta gente dentro de casa que o ciúme desaparece. O Toninho fica preocupado com dinheiro mas isso é bobagem. Ele também adora crianças e quer ter um batalhão de filhos. A gente é jovem e tem a vida pela frente. Deus dá o frio conforme o cobertor. Deus ajuda a quem cedo madruga. De grão em grão a galinha enche o papo. Quem entra na chuva é pra se molhar. Qualquer um sabe disso.

Meu plano é a gente ter um filho daqui a um ano e outro um ano depois. Aí, paro dois anos para amamentar e cuidar dos nenenzinhos lindinhos fofinhos e depois tenho mais dois. Seis filhos em casa. Isso sim é uma família de verdade! Tenho certeza de que vai ser cada um mais lindo e inteligente do que o outro!

Fico só imaginando aquela mesa barulhenta cheia de gente, todo mundo conversando animado. Fico imaginando os quartos com camas beliches para caber o povo todo. E a criançada indo de manhã pra escola? E a turma tocando piano? E jogando bola no quintal? E lutando judô? Já pensou eu contando história praquele batalhão de fofinhos superdotados? Isso sem falar nas festas de Natal! É uma delícia imaginar tanta coisa boa. E depois, quando eu e o Toninho ficarmos

velhos, aquele enxame de netinhos lindos correndo e gritando felizes pelo jardim! Criança em casa é pura alegria de viver.

Sempre digo pro Toninho: a gente está mais do que preparado. Já temos dois filhos. Já temos experiência com criança pequena e sabemos o que fazer e o que não fazer. Basta ver como o Akira e a Teca, meus lindinhos meiguinhos, estão bem-educados.

Se o problema for dinheiro, a gente vende a casa e, mesmo dividindo com o Luís Carlos, vai sobrar um dinheirinho. Aí é só a gente comprar ou alugar uma casa menor. Se precisar, vende o carro também. Qual o problema? Depois, a gente pega as crianças e a bicharada, leva tudo para a casa nova e pronto. Pode ficar um pouco mais apertado mas e daí? Acho até mais gostoso a gente viver todo mundo bem juntinho, agarradinho.

O Toninho adora chorar de boca cheia e vive falando em economia, mas não dispensa ir jantar fora quase toda semana. Aquele restaurante aqui perto onde a gente vai é caríssimo mas ele não abre mão. Adora jogar dinheiro fora, frequentar lugares elegantes, tomar vinho e coisas assim. Acho que o Toninho pensa que nasceu para ser grã-fino.

Eu, por mim, não preciso nem estou interessada em nada disso.

Só quero educar direito meus dois fofinhos e ter mais muitos outros fofinhos para criar e encher essa vida de alegria, festa e esperança.

Tenho certeza de que até os bichos de casa vão gostar.

Outro dia o Akira apareceu feliz da vida, gritando: "– Mãe! O Lalau mordeu minha língua!". Criança e cachorro é assim mesmo. Vivem aprontando e fazendo farra. Já pensou a cara de alegria do Lalau diante de um monte de crianças correndo pelo jardim atrás dele para dar banho?

E a Chaninha? Minha gatinha ama a Teca e o Akira e vai adorar os quatro que ainda não nasceram mas vão nascer.

Já estou até vendo meus seis filhotinhos dando banana picada para a nossa velha tartaruga.

Acho que até aquele sapinho feioso vai gostar. Se vive feliz da vida brincando com o Akira, vai brincar mais ainda quando os outros meninos chegarem.

Ultimamente, uma coisa aqui dentro do coração me diz que logo, logo vou ter mais dois meninos e duas meninas. É meu destino e a força do que tem que ser é muito grande. Vou encher esse mundo de docinhos de coco, de tesourinhos lindinhos fofinhos meiguinhos e no fim vai dar tudo certo e a gente vai ser muito feliz! Isso se não nascerem duas levas de trigêmeos! Ah, meu Deus do céu. Oito filhinhos. Já imaginou que delícia?

Tão parecidos e tão diferentes

Faz de conta que estamos num restaurante e notamos que a pessoa da mesa ao lado faz uma careta diante do mamão trazido pelo garçom. É possível que o sujeito tenha ficado desapontado ao perceber que o mamão está estragado. Podem haver outras explicações para sua reação. Talvez ele nunca tenha visto um mamão na vida, resolveu experimentar e não gostou. Vai ver que um parente seu, muito querido, morreu engasgado com um mamão e a triste lembrança voltou. Quem sabe, ao olhar o mamão, o sujeito tenha pensado: "Quando mais precisava, fulano não me deu 'uma mão'!". Ou então pode ser que o sujeito seja feiticeiro e acredite que o estado e a disposição das sementes dos mamões sejam capazes de revelar o futuro. Fez cara feia ao descobrir que na saída do restaurante será atropelado por uma jamanta carregada de... mamões.[1]

A existência de pontos de vista variados acontece porque as pessoas são parecidas e, ao mesmo tempo, muito diferentes umas das outras. Afinal, cada uma tem sua experiência de vida, sua cultura, sua história, suas crenças, seus desejos, seu estilo e gosto pessoal, sua maneira de ser. Aliás, é uma questão de respeito jamais esquecer disso quando olhamos uma pessoa à nossa frente.

O assunto tem aparecido no meu trabalho desde *O peixe que podia cantar*, meu primeiro livro, e depois em outros como *Um homem no sótão*, *Nossa rua tem um problema*, *Uma velhinha de óculos, chinelos e vestido azul de bolinhas brancas*, *Chega de saudade*, *O livro das palavras* e agora este: *O livro dos pontos de vista*.

Quero lembrar o seguinte: vivemos cercados de livros didáticos, apostilas e manuais técnicos, mas nem sempre reparamos que eles costumam ser textos monológicos, ou seja, tratam dos assuntos através de um único e exclusivo ponto de vista. É preciso que assim seja para ensinar e transmitir o conhecimento necessário à construção da nossa educação formal e técnica.

Pois bem, uma das características mais relevantes da literatura de ficção, ao contrário, é sempre tentar fugir das lições e informações objetivas e exatas. A razão é simples: os temas abordados pela literatura não costumam ser passíveis de lições e exercícios. Como pensar em métodos, teorias e exatidões quando queremos falar das paixões humanas, de medos e sonhos, da busca do autoconhecimento, de ambiguidades e contradições, de manias, de esperança, de incoerência ou, para ficar no nosso tema, da diferença entre as pessoas e seus pontos de vista? Como, por exemplo, "ensinar" e dar "lições, métodos e exercícios" a respeito do que sentimos em relação ao outro? Refiro-me a gostar ou não gostar. Refiro-me a conviver com a diferença essencial, muitas vezes incompreensível e inacreditável, entre nós e as outras pessoas.

Uma coisa é certa: se todos os homens fossem absolutamente diferentes, as sociedades não existiriam e sem elas a humanidade não teria a menor chance de sobreviver. Por outro lado, se todos os homens fossem absolutamente iguais, a humanidade também não existiria pois seria destruída pelo tédio e pela mesmice. Eis por que a diversidade entre os homens e seus pontos de vista é tão rica, vital e importante. É ela a principal razão do livro que o leitor tem agora em mãos.

Ricardo Azevedo
Escritor, ilustrador e pesquisador da cultura popular brasileira.

---

[1] Inventei o exemplo a partir de outro dado por HACKING, Ian. *Por que a linguagem interessa à filosofia?* São Paulo, Editora Unesp/Cambridge, 1999.